TOMÁS NA hORDÓIGE

Eithne Ní Ghallchobhair · Maisithe ag Carol Betera

CLÓ MHAIGH EO

Ní raibh mé riamh gan scéal úr ná seanscéal

Dá mbeinn gan aon scéal, chumfainn féin scéal

Nó rachainn chun na Fraince fá choinne scéil

Dá mbeinn bodhar ní chloisfinn é

Dá mbeinn balbh ní thiocfadh liom é a insint

Ach nuair atá sé agam inseoidh mé é...

Bhí lánúin ina cónaí ar imeall coille agus ní raibh páiste ar bith acu. Bhí siad i gcónaí, i gcónaí, ag smaoineamh gur mhaith leo mac beag nó iníon bheag.

"An bhfuil a fhios agat seo, a Thomáis," arsa an bhean lena fear céile lá amháin agus í ag cur snas geal-dhearg ar a cuid ingne, "ba chuma liom muna mbeadh sé chomh beag le m'ordóg féin fiú ach páiste a bheith agam."

D'amharc sí ar a méara, shéid sí ar an snas agus phléasc an bheirt acu amach ag gáire.

Maidin Domhnaigh ina dhiaidh sin bhí an bheirt ina gcodladh go mall nuair a mhothaigh an bhean rud éigin ag bogadach faoin bpiliúr agus í ag tiontú thart sa leapa. Bhain sí deatach as an bpiliúr leis an mbuille a bhuail sí air agus bhí gach rud socair agus suaimhneach ar feadh tamaill. Ach níorbh fhada gur mhothaigh sí an bogadach gasta arís. Dhúisigh sí an uair seo agus d'ardaigh sí taobh an philiúir go cúramach. D'fhéach sí faoi go faichilleach.

Cad é a bhí istigh faoin bpiliúr ach gasúr beag bídeach agus caipín beag dearg ar mhullach a chinn aige!

Lig sí scread aisti agus lig sí scréach aisti.

Phreab a fear céile de gheit sa leaba.

"Cad é faoi Dhia tá ort?" ar seisean go crosta i ndiaidh dó a bheith múscailte go tobann.

"Tá boc beag bídeach istigh faoin bpiliúr," ar sise go tapaidh.

"Tá boc beag bídeach istigh i do chloigeann, creidim!" ar seisean agus é ag magadh fúithi. "Pisreoga agus seafóid!" agus thosaigh sé ag srannfach go hard.

Luigh an bhean siar arís chun dul a
chodladh ach ansin...

"Pisreoga agus SEAFÓID ZZZZZZ..." a ghlaoigh guth beag ard de gháire. Shil an guth amach faoin bpiliúr.

Dhúisigh an fear go sciobtha agus shuigh sé in airde sa leapa de phreab. Chuimil sé a shúile, chuimil sé a chloigeann, agus d'fhéach sé ar a bhean chéile go codlatach. D'fhéach a bhean go díreach ar ais air ach níor dhúirt siad oiread agus focal. Bhí an dubhiontas orthu beirt.

"Pisreoga agus SEAFÓID ZZZZZZ... Pisreoga agus SEAFÓID ZZZZZZ..." agus thosaigh an gáire beag ard arís.

"Nár dhúirt mé go raibh boc beag bídeach faoin bpiliúr, a Thomáis," arsa an bhean faoi dheireadh thiar.

"Bhuel," arsa an fear go cúramach, "amharc arís go bhfeice tú an bhfuil sé ann go fóill," agus thosaigh sé ag útamáil thart faoi thábla beag a bhí le taobh na leapa ag iarraidh teacht ar a chuid spéaclaí.

D'ardaigh an bhean coirnéal an philiúir go mall agus go fadálach agus d'fhéach an bheirt isteach faoi. ACH sula raibh seans acu dubh nó dath a rá, siúd amach de rúid an gasúr is lú a chonaic duine ar bith ar chlár an domhain riamh roimhe.

"Inniu is amárach!" arsa an fear, agus na spéaclaí ina suí ar bharr a shróine, "ní fhaca mé rud ar bith beo chomh beag leis i mo shaol."

"Ní fhaca ná mé," arsa an bhean os íseal, ar eagla go scanródh sí an gasúr. "Níl sé ach chomh mór le m'ordóg. Agus an bhfeiceann tú an caipín beag dearg ar mhullach a chinn? ÁÁÁÁÁ!"

Lean an bheirt orthu ag stánadh ar an ngasúr beag. Bhí sé ag súgradh leis ar an bpluid le cleite a tharraing sé leis amach as an bpiliúr.

Bhí siad faoi dhraíocht amach aige.

"Cad é a dhéanfaidh muid anois?" arsa an fear agus mearbhall air go fóill.

"Tá sé linn anois," arsa an bhean ar deireadh nuair a tháinig sí chuici féin, "agus os rud é go bhfuil, tabharfaidh muid aire mhaith dó."

D'aontaigh an fear agus bhí an conradh déanta.

Bhaist an bheirt Tomás na hOrdóige ar an ngasúr beag a bhí i ndiaidh teacht chucu agus ón lá sin amach bhain siad an-chraic as.

Rinne a athair dréimirí beaga de chipíní agus scaip sé thart fán teach iad ionas go mbeadh Tomás na hOrdóige ábalta dul ar fud na háite gan chuidiú a iarraidh ó dhuine ar bith eile.

Gach tráthnóna d'imir Sean Tomás peil le Tomás na hOrdóige le pónaire reoite, eisean ag ciceáil an phónaire anuas agus suas an tábla lena lúidín agus Tomás na hOrdóige ag rith ar a sheacht ndícheall ina dhiaidh.

Rinne a mháthair sleamhnán dó laistigh de bhróg shamhraidh ard bhándearg.

Lean Tomás na hOrdóige leis ag sciorradh le fána na bróige agus ag dreapadh an dréimire ag dul suas arís.

FFFFFFAAAAAAAOOOOOOOIIIIIIIIIIIIIIIII!!!

Bhí Tomás na hOrdóige lán le

FUINNEAMH.

Ní nach ionadh bhain a thuismitheoirí an-sult as a bheith ag amharc ar Thomás na hOrdóige ag súgradh, ag dreapadh agus ag rith thart. Ní raibh stop ná stad leis.

É sin ráite, bhí Tomás na hOrdóige an-mhaith ag cuidiú lena thuismitheoirí.

Bhain sé na fiailí amach as na bláthanna pota le gabhlóg... UUUUCCCCCCCCHHHH!

Ghlan sé na dlúthdhioscaí le cleite.

Chuir sé snas ar mhéarchlár an ríomhaire le scuab fiacla AGUS, creid é nó ná creid, thóg sé íoglú beag dó féin le cearnóga siúcra lá amháin i ndiaidh dó a bheith ag amharc ar a athair ag tógáil scibóil nua lasmuigh den teach.

Tá mé ag rá leat, bhí Tomás na hOrdóige

MIOTALACH!

Ach níor fhás Tomás na hOrdóige oiread

is orlach amháin ón lá a shleamhnaigh sé

amach ó lár an philiúir. Fiú le himeacht aimsire, bhí sé chomh beag céanna agus a bhí sé an chéad lá a tháinig sé ar an saol.

Cé nach raibh Tomás na hOrdóige mór, bhí sé múinte agus glic agus neamhspleách.

Oíche amháin i ndiaidh don triúr a bheith ag amharc ar scannán SCANRÚIL, d'amharc Tomás na hOrdóige air fein sa scathán roimh dul a luí dó. Shocraigh sé go bhfásfadh sé a chuid gruaige.

"Cuirfidh sé sin snas orm, creidim," ar seisean go beacht.

As sin amach, nuair a bhí
máthair Thomáis ag iarraidh
greim a fháil air ionas go
ngearrfadh sí a chuid gruaige,
isteach le Tomás de rúid san

íoglú, agus orlach ní bhogfadh
sé go raibh deireadh leis an
bhagairt agus na siosúir as
radharc. Níorbh fhada gur
thosaigh an ghruaig ag fás
agus ag fás gan stop, gan staonadh.

Bhí Tomás na hOrdóige
éagsúil ón ngnáthdhuine, an
dtuigeann tú? Sula raibh

coicís istigh bhí afró tiubh ar mhullach a chinn. Nach eisean a bhí bródúil!

Chuaigh an mháthair ar mire glan. Bhí náire an domhain uirthi. Cad é a bheadh le rá ag na comharsain faoi seo? Chaith sí trí oíche ar an nguthán ag caoineadh agus ag mairgnigh lena cairde.

Ag an am céanna bhí Sean Tomás sínte siar ag gáire.

Bhí Tomás na hOrdóige ag iarraidh a bheith an-neamhspleách.

Aon lá amháin bhí Sean Tomás ag obair amuigh sa ghairdín agus d'iarr sé ar a bhean a lón a thabhairt chomh fada leis um thráthnóna.

"Cad é ar mhaith leat?" a d'fhiafraigh a bhean de.

"Beidh dhá phopadom agus ceibeab agam inniu. Tá siad istigh sa reoiteoir in aice leis na pónairí."

"Feicfidh mé ar ball thú!" arsa a bhean.

Ní raibh sí ach ag leath-éisteacht lena fear céile; bhí sí ag obair. Lean sí léi ag taispeáint uimhreacha do Thomás na hOrdóige. Bhí mata á dhéanamh acu agus léirigh sí dó an dóigh chun uimhreacha a

chuntas ar an bhfón póca.
Ní raibh suim ar bith ag
Tomás na hOrdóige sa
mhata ach deis a bhí ann
dul ag LÉIMT! Léim sé leis
ó uimhir go huimhir agus é
ag féachaint ar an scáileán.

$$2 + 2 = ???$$

"Slán go fóill, a dheaid!" a scairt
Tomás na hOrdóige agus é ag
pocléimneach thart, an ghruaig
ag séideadh ar fud na háite leis
an siorradh gaoithe a bhí ag
teacht isteach ón doras oscailte.

"Slán, a mhic!" arsa an t-athair ag amharc siar ar a mhac.

Nuair a tháinig am lóin bhí Tomás na hOrdóige réidh leis an bhfoghlaim agus ar seisean lena mháthair:

"Lig domsa an lón a ghlacadh chomh fada le m'athair inniu, a Mhaim."

"Maith go leor, a Thomáis," arsa an mháthair, "ach beidh turas fada ort."

"Nach cuma," a d'fhreagair Tomás na

hOrdóige. "Is BREÁ liom a bheith ag rith agus ag siúl, ag bogshodar agus ag pocléimneach." D'imigh sé leis sna featha fásaigh, fleasc tae idir a dhá láimh bheaga agus dhá phopadom agus ceibeab ar mhullach a chinn.

Nár dhúirt mé go raibh sé miotalach!

Tháinig straois idir an dá chluas ar a mháthair nuair a chonaic sí Tomás beag s'aicise agus an bia Indiach ina luí idir dhá cheann na meá ar a chloigeann ruainneach. Ghlac sí grianghraf de ar a fón póca i ngan fhios dó agus sheol sí fhad lena athair é. Bhí a fhios aici go mbeadh sé

bródúil. Nach raibh cloigeann breá
gruaige air féin lá den tsaol!

D'imigh Tomás na hOrdóige leis agus shíl
a mháthair go mbeadh néal beag codlata
aici nuair a bhí an teach socair agus na fir
ar shiúl. Shuigh sí síos agus lig sí a scíth.

*"...agus an gúna corcra seo leis an hata
buí. Nach bhfuil siad go hálainn ar
fad?...An é sin do mhac istigh in íoglú
siúcra???!!!..."*

Dhúisigh an bhean de phreab nuair a
mhothaigh sí trup lasmuigh. A fear céile
a bhí ann.

"Tá an dubh-ocras síoraí orm! Rinne tú

dearmad ar mo lón!" arsa Sean Tomás de ghlór lag. "Tá mo bholg thiar i mo dhroim leis an ocras."

"Ní dhearna mé dearmad, leoga. D'imigh Tomás na hOrdóige leis dhá uair a chloig ó shin - fleasc tae idir a dhá láimh bheaga agus dhá phopadom agus ceibeab ar mhullach a chinn aige. Nach bhfuair tú an grianghraf a sheol mé chugat?" ar sise agus í ag síniú a láimhe chun an grianghraf is úire a thaispeáint dó.

"Fuair mé sin, go raibh maith agat. Nach bhfuil sé gleoite fosta! Sílim go n-amharcann sé cosúil liom féin," arsa an fear agus dearmad á dhéanamh aige ar a bholg.

Thug an bhean sonc dá fear. "Ná bac leis sin anois. Cá bhfuil Tomás na hOrdóige?"

"Diabhal a bhfuil a fhios agamsa. An bhfuil sé san íoglú?"

D'amharc an bheirt isteach san íoglú siúcra ach ní raibh iomrá ar bith ar Thomás na hOrdóige.

Ó bóbó! Bhí an-imní ar an mbeirt agus ní raibh a fhios acu cad é ba cheart dóibh a dhéanamh.

Bhí Tomás na hOrdóige AR IARRAIDH!

* * * * * * *

Cad é a tharla do Thomás na hOrdóige?
Bhuel, seo mar a tharla.

Bhí Tomás na hOrdóige leathbhealach
chuig an ngairdín nuair a thosaigh cith
fhíochmhar chloch sneachta ag titim go
han-trom ar fad.

Arsa Tomás na hOrdóige leis féin, "Beidh
an bia seo millte ar m'athair bocht má
fhanaim amuigh faoi seo. Beidh sé fuar
agus fliuch agus bog. Tá na clocha
sneachta sin mar a bheadh piléir iontu
AGUS beidh m'fholt gruaige SCRIOSTA acu."

D'fhéach sé thart agus chuaigh sé ar
foscadh faoi dhuilleog chopóige.

Sheas Tomás na hOrdóige ar feadh tamaill
ag amharc amach ar na clocha sneachta.
Shleamhnaigh cúpla ceann isteach faoin
duilleog agus thug sé cic breá láidir dóibh.

"ÁÁÁÁÁÁÁÁÁÁÁ, SSSSSEAFÓID!!!" a
ghlaoigh sé, agus chuimil sé a dhá chos.
Bhí na clocha sneachta an-chrua ar fad.
Shuigh Tomás na hOrdóige síos, d'ith sé
giota beag amach as popadom agus lig sé a
scíth.

Nuair a bhí Tomás tamall beag ina shuí faoin

gcopóg cad é a tháinig an bealach céanna
ach An Tarbh Mór Donn?

"Óóóóooo, a Mhaaaaaaaaaaiimmmmm..."

Dúradh le Tomás na hOrdóige fanacht ar
shiúl ón Tarbh Mór Donn an chéad lá a
tháinig sé. Dúradh leis faoina spága móra
dubha agus an eireaball fada liath.
Tugadh rabhadh dó faoina theanga fhada
bhándearg.

Lig Tomás na hOrdóige scread síoraí as,
thug sé na cosa leis agus rith sé ar a
sheacht ndícheall. ACH, mo léan, bhí sé
rómhall.

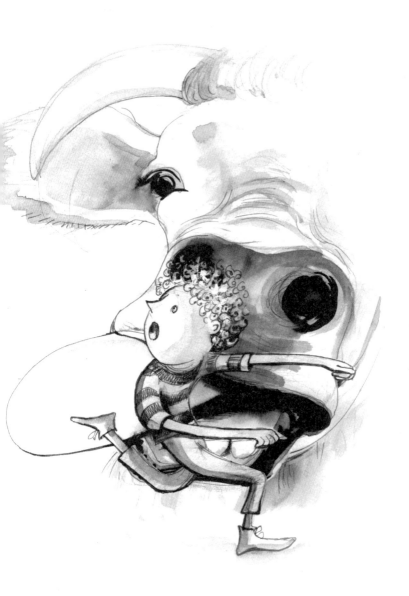

Sháigh An Tarbh Mór Donn a theanga fhada bhándearg amach, chrom sé a chloigeann ollmhór isteach faoin duilleog, shlog sé siar an duilleog agus shlog sé Tomás leis.

"Gura slán leat, a Thomáis," arsa tusa go brónach.

Tomás na hOrdóige bocht.

* * * * * * *

Thiar sa teach, d'éirigh an cuartú do Thomás na hOrdóige ach ní raibh sé le fáil thuas ná thíos, thiar ná thoir. Chuardaigh siad sna potaí, d'amharc siad faoin tolg agus chuir Sean Tomás a shúil mhór ghorm go doras an íoglú agus d'fhéach sé isteach. Shiortaigh siad an teach ó bhun go barr ach ní raibh iomrá dubh, bán ná riabhach ar Thomás na hOrdóige.

Shiúil Sean Tomás agus a bhean ar ais chuig an ngairdín, iad ag breathnú ar an talamh i rith an ama. D'fhéach siad sna crainn, d'fhéach siad san fhéar, d'fhéach siad faoi na duilleoga. Ghlaoigh siad ar an mac ab ansa leo in airde a gcinn ach ní raibh tásc ná tuairisc ar Thomás na hOrdóige.

Ar deireadh dúirt an bhean trína deora, "Sílim, a stór, go bhfuil Tomás na hOrdóige beag imithe ar shiúl uainn. Chuaigh sé ar seachrán, creidim, an créatúr beag bocht, agus bhí mé ag tabhairt amach faoina chuid gruaige ar maidin. Búúúúúúúúúúú!"

"Ná bí ag caoineadh, maith an bhean. Ná bí buartha," arsa an t-athair. "Má tá Tomás na hOrdóige beag féin, tá sé glic agus gearrchliste agus tiocfaidh sé ar ais chugainn. Fan go bhfeice tú."

Bhuail smaoineamh eile é. "Is dóiche nár ghlac sé an *sat nav* leis?"

"Fhad leis an ngairdín? Tá an **sat nav**
níos mó ná é féin!"

"Bhuel, níl an cath caillte go fóill. Bímís
dearfach!" ar seisean.

Ach d'imigh an bheirt abhaile fá chroí
mór trom.

Nuair a bhí An Tarbh Mór Donn á chur isteach sa bhóitheach an tráthnóna céanna chuala an bhean feadaíl ard aisteach agus d'amharc sí thart.

"Cad é an trup coimhthíoch sin, a Thomáis?" ar sise lena fear céile.

Chuir an fear cluas le héisteacht air féin ach níor chuala sé faic na fríde.

"Cuireann sé Tomás na hOrdóige i gcuimhne dom agus an ceol a bhí aige an chéad lá a tháinig sé chugainn riamh."

D'éist an fear go géar agus, maith go leor, tháinig an trup ard chucu arís.

"A Mhaim, agus a Dheaid,

Ná bígí sibhse buartha!

Nó tá mise ag feadaíl liom i mbolg An Tairbh Mhóir Dhoinn!"

"Wúhú! Amharcaigí ar seo!!! Clábar agus putóga agus FUIL!

Booooiiiinnnnggggggg!!! THAR BARR!

Dá dtiocfadh libh é seo a fheiceáil!"

Baineadh an anáil as an mbeirt agus sheas siad ar an spota ag stánadh ar An Tarbh Mór Donn agus ag stánadh ar a chéile.

Ní raibh anonn ná anall air, chaithfí An Tarbh Mór Donn a mharú.

Bhí drogall ar Shean Tomás An Tarbh Mór Donn a mharú. Bhí sé an-cheanúil ar an tarbh ach ní raibh an dara suí sa bhuaille ann an uair seo. Bhí sé ina GHÉARCHÉIM!

"Maraigh é," arsa an bhean ag tabhairt sonc dá fear. Thosaigh sí ag smeacharnach.

"Maraigh tú féin é agus ná bí ag blubarnaigh," arsa an fear.

Bhuail taom feirge an bhean agus d'amharc sí ar a fear go crosta. Bhain sí di a bróg deas dearg leis an tsáile ard, chnag sí an tarbh ar mhullach a chinn agus thit an tarbh maol marbh ar an bhféar os a gcomhair amach.

Tháinig flústar fíochmhar ar an mbeirt. D'oscail siad An Tarbh Mór Donn ar luas lasrach agus thosaigh an cuartú.

Chuardaigh siad na putóga aniar agus siar, anonn agus anall, anuas agus suas.

D'amharc siad san ae, d'amharc siad sna duáin, chuartaigh siad sa bholg agus chuartaigh siad sna scamhóga ach dheamhan Tomás na hOrdóige a bhí le fáil in aon áit!

Cá raibh Tomás na hOrdóige?

Bhí an bheirt ina suí ar thaobh an bhóthair ag smaoineamh faoi cad é a thiocfadh leo a dhéanamh nuair a tháinig carr mór snasta an bealach agus bean álainn á thiomaint. Mhoilligh sí nuair a chonaic sí an bheirt ar thaobh an bhóthair. Bhí sí i ndiaidh dul ar strae.

D'ísligh sí fuinneog an chairr.

"An bhfuil mé i bhfad ón gcéad bhaile mór eile, le bhur dtoil?" arsa an bhean chaillte. "Sílim go ndeachaigh mé ar seachrán."

"Seacht mile díreach ar aghaidh agus tiocfaidh tú a fhad leis," arsa Sean Tomás le leathshuim. "Ach seo," arsa a bhean chéile, "bíodh píosa feola agat." Agus thairg sé dhá stéig don bhean chaillte nár thuig cad é a bhí ag dul ar aghaidh ar chor ar bith.

Ghlac an bhean chaillte leis an bhfeoil go

buíoch. D'ardaigh sí an fhuinneog agus ar shiúl léi ag smaoineamh go raibh bunadh na háite seo iontach cairdiúil ar fad.

Nuair a bhí an bhean chaillte giota beag ar shiúl síos an bóthar shíl sí gur mhothaigh sí rud éigin ag bogadach istigh sa mhála a bhí caite in aice léi. D'fhéach sí isteach sa mhála agus, fíor go leor, bhí rud éigin ag bogadach leis go beo beathaíoch istigh ann agus bhí ribí dubha gruaige scaipthe ar fud an mhála. Scanraigh an bhean bhocht, chaith sí uaithi an mála agus an dá stéig ar luas lasrach agus d'imigh sí léi gan amharc ina diaidh. "Bíodh an dá stéig gruaigeacha sin ag duine éigin eile," ar sise go searbhasach.

Go luath ina dhiaidh sin tháinig madra mór buí an bealach. Chonaic seisean an mála páipéir caite i lár an bhóthair agus an dá stéig gruaigeacha ag gobadh amach as. Stad sé go tobann.

"Bhuel," ar seisean agus aoibh an gháire ag teacht air, "nach ormsa atá an t-ádh dearg inniu?"

Fuair sé boladh an mhála, thug sé sonc dó lena shrón, d'amharc sé thart go bhfeicfeadh sé an raibh duine ar bith ag amharc air agus, chomh gásta le rud ar bith, bhí an dá stéig alptha siar ag an madra mór craosach. Thug sé na cosa leis sna featha fásaigh.

Ní raibh sé i bhfad sin imithe nuair a stad an madra go tobann. Sheas sé ar a cheithre cos agus lig sé brúcht fada glórmhar as féin.

"PÚÚÚÚÚÚÚÚÚÚCCCCH!"

Baineadh geit as an madra bocht.

"Cá as a dtáinig sin?" ar seisean leis féin. "Óóó, ní airím go rómhaith ar chor ar bith."

"NÍ AIRÍM GO RÓMHAITH AR CHOR AR BITH...

AIRÍM TINN!"

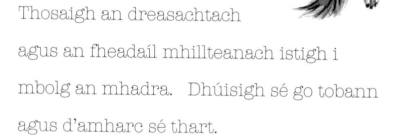

Shuigh se síos faoi chrann
breá ard agus rinne sé
néal beag codlata.

Thosaigh an dreasachtach
agus an fheadaíl mhillteanach istigh i
mbolg an mhadra.   Dhúisigh sé go tobann
agus d'amharc sé thart.

"Dúdúdúú-dúúúúú,"
a chan glór beag
lúcháireach.

Shíl an madra bocht
go raibh sé ag dótáil

agus shocraigh sé gan dhá stéig a ithe go deo arís.   Dhún sé a shúile in athuair agus thriail sé dul a chodladh.

"Caorach amháin, dhá chaorach, trí chaorach, ceithre c..."

"Dúdúdúú-dúúúúú....

BOOOOOOOOOOAAAING!!!!!"

Léim an madra ina sheasamh go trodach agus d'fhéach sé mórthimpeall air féin. Nuair nach bhfaca sé rud ar bith thosaigh sé ag rith le heagla. Thug sé na cosa leis ach mhair an fheadaíl mhillteanach ag teacht amach as lár a bhoilg, suas, suas, suas agus amach as a bhéal!

"PÚÚÚÚÚÚÚÚÚÚCCCCH!"

 Rith sé anseo agus rith sé ansiúd go dtí sa deireadh ní raibh sé ábalta rith ní b'fhaide agus thit sé síos ina chnap lag lúbach i lár an bhóthair.

An madra mór bocht!

Ach cé go go raibh eagla an domhain ar an madra ní raibh eagla ar bith ar Thomás na hOrdóige. Bhí seisean thíos i lár na bputóg ag baint suilt agus spraoi as a bheith ag ú

tamáil thart. Bhí rudaí NUA le feiceáil ar fud na háite agus ní raibh sé chun an deis seo a chailleadh. Shiúil sé suas agus shiúil sé síos. Chonaic sé an croí, chonaic sé an bolg, chonaic sé na duáin agus chonaic sé an ae. Chonaic sé GACH rud agus bhí iontas air.

Ar deireadh thiar tháinig tuirse ar Thomás na hOrdóige agus smaoinigh sé ar a athair, ar a mháthair, ar an íoglú beag teolaí agus ar a leaba bheag féin. Shocraigh sé go rachadh sé abhaile, go raibh a sheacht sáith d'eachtraí bainte amach aige d'aon lá amháin.

Dhreap Thomás na hOrdóige slogaide an mhadra, ar aghaidh leis tríd an sceadamán go dtí gur léim sé go gasta amach as béal oscailte an mhadra bhoicht a bhí sínte leis i lár an bhóthair.

D'amharc Thomás na hOrdóige thart timpeall air féin, chuimil sé an clábar dá chuid éadaí agus tharraing sé anáil bhreá dhomhain.

"Anois, cá bhfuil mé?" ar seisean leis féin.

Bhain sé giota dó síos an bóthar ag amharc mórthimpeall air féin i rith an ama. Shiúil sé agus shiúil sé agus ar deireadh chonaic sé a theach beag féin amach uaidh. Thosaigh sé ag rith ar luas lasrach.

Ní nach ionadh bhí an-lúcháir ar a thuismitheoirí nuair a chonaic siad a leaidín beag bídeach féin, é clúdaithe le clábar, ag BRISEADH isteach tríd an doras.

"Shíl muid go raibh tú caillte, imithe go buan, agus nach bhfeicfeadh muid arís thú," a chaoin an mháthair.

"Cá raibh tú i gcás ar bith?" a d'fhiafraigh an t-athair. "Chuala muid an ceol ag teacht amach as An Tarbh Mór Donn ach nuair a shiortaigh muid an t-iomlán ní raibh tásc ná tuairisc ortsa."

"Bhí an-eachtra ar fad agam," a d'fhreagair Tomás na hOrdóige agus thosaigh sé leis ag inseacht don bheirt cad é a thit amach ó mhaidin, cad é a chonaic sé agus cad é a chuala sé.

Rinneadh císte mór agus bhí féasta ag an triúr. Lean an chlabaireacht agus an chaint go dtí go raibh siad spíonta amach.

Chuaigh Sean Tomás agus a bhean a luí agus isteach le Tomás na hOrdóige go dtí a íoglú beag féin. Dhruid sé an doras ina dhiaidh, léim sé isteach sa leaba agus i bhfaiteadh na súl thit sé chun suain.

Gura suan do néal, a Thomáis!

I lár na hoíche mhothaigh Tomás na hOrdóige trup aisteach lasmuigh den íoglú. Shíl sé go raibh sé ag brionglóideach agus sháigh sé a chloigeann faoina philiúr go codlatach. Ach ansin, chuala sé an trup arís... agus arís.

Cnag... cnag... cnag...

Shuigh Tomás na hOrdóige in airde sa leaba agus d'amharc sé amach an fhuinneog.

Ba chosúil go raibh duine éigin ag bualadh ar an doras! Ach CÉ a bhí ann?

Thit sé amach as an leaba agus d'oscail sé an doras go faicheallach.

Cé a bheadh taobh amuigh den íoglú ach cailín óg fionnrua agus í chomh beag le... do... LÚIDEOG.

Bhuel, LAS na súile i dTomás na hOrdóige ar an bpointe boise agus thit sé i nGRÁ.

ACH, a chairde... sin scéal eile!

CRÍOCH

Leabhair eile le
Eithne Ní Ghallchobhair

TÁ BREITHLÁ LAOISE, AN LUCHÓG BHEAG, AG TEACHT

AGUS SOCRAÍONN SÍ GO MBEIDH CÓISIR

BHRÍOMHAR AICI DÁ CAIRDE GO LÉIR SA CHOILL.

SEOLANN SÍ TÉACS CHUIG NA HÉISC, NA HÉIN,

NA DREANCAIDÍ AGUS AN FRANCACH FIÚ!

CAD A THARLÓIDH NUAIR A THIOCFAIDH SIAD

UILIG LE CHÉILE?

BÍGÍ LINN CHUIG AN CHÓISIR!

DO LÉITHEOIRÍ 8+ / E8.50

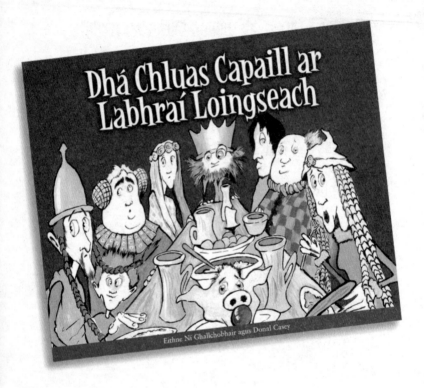

Dhá Chluas Capaill ar Labhraí Loingseach

Eithne Ní Ghallchobhair agus Donal Casey

CÉN RÚN NÁIREACH ATÁ AG AN RÍ, LABHRAÍ LOINGSEACH?

NÍL A FHIOS ACH AG DUINE AMHÁIN EILE CAD É.

ACH CAITHFIDH SEISEAN AN RÚN A SCAOILEADH NÓ

RACHAIDH SÉ AS A MHEABHAIR.

LEAGAN ÁLAINN DEN SEANSCÉAL CLÚITEACH.

DO LÉITHEOIRÍ 7-12 / E8.99